토드 선장과 은하계 스파이

SEOUL, 2018

토드 선장과
은하계 스파이

제인 욜런 글 · 브루스 데근 그림 · 박향주 옮김

시공주니어

팔짝이 두꺼비 같은 우리 샌디에게
- 브루스 데근

토드 선장과 은하계 스파이

초판 제1쇄 발행일 1998년 12월 24일
개정1판 제1쇄 발행일 2003년 11월 10일
개정2판 제1쇄 발행일 2018년 4월 25일
개정2판 제8쇄 발행일 2022년 3월 20일
글 제인 욜런 그림 브루스 데근 옮김 박향주
발행인 박헌용, 윤호권 발행처 (주)시공사
주소 서울시 성동구 상원1길 22, 6-8층 (우편번호 04779)
대표전화 02-3486-6877 팩스(주문) 02-585-1247
홈페이지 www.sigongsa.com/www.sigongjunior.com

COMMANDER TOAD AND THE INTERGALACTIC SPY
written by Jane Yolen and illustrated by Bruce Degen
Text Copyright ⓒ 1986 by Jane Yolen
Illustrations Copyright ⓒ 1986, 1997 by Bruce Degen
All rights reserved.
This Korean edition was published by Sigongsa Co., Ltd. in 1998 by arrangement
with Jane Yolen c/o Curtis Brown, Ltd., New York, NY and Puffin, a division of
Penguin Young Readers Group, a member of Penguin Group (USA) LLC,
A Penguin Random House Company through KCC, Seoul.

ISBN 978-89-527-8640-1 74840 ISBN 978-89-527-5579-7 (세트)

*시공사는 시공간을 넘는 무한한 콘텐츠 세상을 만듭니다.
*시공사는 더 나은 내일을 함께 만들 여러분의 소중한 의견을 기다립니다.
*잘못 만들어진 책은 구입하신 곳에서 바꾸어 드립니다.

KC마크는 이 제품이 공통안전기준에 적합하였음을 의미합니다.
제조국 : 대한민국 사용 연령 : 8세 이상
책장에 손이 베이지 않게, 모서리에 다치지 않게 주의하세요.

하늘나라에 살지만
가끔 이 세상으로 놀러 오는
나의 사랑하는 조카,
존 그레고리 욜런에게
- 제인 욜런

기다란 우주선들이
깜박깜박 눈웃음치는
별무리를 헤치며 날아갑니다.
그중에 우주선 하나,
초록색 기다란 우주선이,
커다랗고 힘센 우주선이 날아갑니다.
우주선 이름은
'별똥들의 전쟁'호.
우주선 선장은
용감하고 지혜로운 선장!
지혜롭고 용감한 선장!
그 이름도 위대한 토드 선장!

토드 선장은
아무도 가 본 적 없는 우주로
우주선을 이끌어 갑니다.
새 행성을 발견하라!
은하계를 탐험하라!
지구의 한 줌 흙을 외계로 가져가라!
토드 선장 혼자
우주를 항해하는 것은 아닙니다.

토드 선장을 따르는 대원들은
모두 씩씩하고 용감합니다.
부조종사는 엄청생각 씨,
기관사는 나리 중위,
컴퓨터 박사는
막내 대원 공중제비입니다.
의사는 닥터꼼꼼 씨,
초록색 풀잎 가발을 쓰고
모든 대원이 폴짝팔짝
건강하도록 보살피지요.

어느 날,
토드 선장이 대원들을
모두 불러 모았습니다.
토드 선장은
종이 한 장을 들고서
대원들에게 말했습니다.
"우주 함대에서 우리에게
매우 위험한 임무를 맡겼네.

이 임무를 해내려고
많은 우주선이 출동했지만,
돌아온 우주선은 하나도 없었어."
"충성! 중위 나리, 준비 완료!"
나리 중위가 씩씩하게 말했어요.

"매우 위험한 임무가 무엇입니까?"
엄청생각 씨가 토드 선장에게 물었어요.
"비밀 요원을 태워 오는 것이네.
그 요원은 은하계 스파이지."
엄청생각 씨는 토드 선장 말을 듣고
머리를 긁적였습니다.
"그게 왜 위험하다는 거죠?"
나리 중위가 다시 물었어요.

"보통 요원이 아니거든.
비밀 요원 007$\frac{1}{2}$은
우주 함대 최고의 스파이라네."
토드 선장이 설명했습니다.
"아하! 전에 들어 본 적 있어요."
나리 중위가 말하자,
"저도 알아요, 팔짝이!
변장의 달인이래요."
막내 대원 공중제비도
아는 체를 했습니다.

"알기는 내가 제일 잘 알지.
내 사촌 동생이니까."
토드 선장이 자랑했어요.
"아무리 변장술이 뛰어나도,
나는 알아볼 수 있어.
자네들도 찾아낼 수 있을 걸세.
우리 가족은 모두
비슷하게 생겼거든.
팔짝이는 키가 크고,
피부도 건강한 구릿빛에,
완벽한 두꺼비 미남이라네."
"선장님처럼요?"
엄청생각 씨가 물었어요.

토드 선장은 그다지
즐겁지 않았어요.
토드 선장은 품에서
사진을 한 장 꺼냈습니다.
작고, 까무잡잡하고, 잘생긴
어린 두꺼비 둘이 함께
강가에서 사방치기를
하고 있었습니다.

"자, 이리 와서 보게."
모두들 사진을 들여다보았습니다.
"누가 선장님이고,
누가 사촌 동생 팔짝이에요?"
나리 중위가 물었습니다.
토드 선장은 대답 대신 웃어 보였어요.

"이제 항로를 결정해야 해요.
그 유명한 사촌 동생을 태우러
어디로 가야 하죠?"
막내 공중제비가 물었어요.
토드 선장은
우주 함대에서 보낸
종이를 보여 주었어요.
이상한 그림이 그려져 있었어요.
"두꺼비 암호군요.
제가 한번 해독해 보겠습니다."
엄청생각 씨는 한참 동안
종이를 들여다보았습니다.

이윽고 엄청생각 씨가
입을 열었습니다.
"선장님의 사촌 동생은
지금 에덴별에 있군요.

에덴별에는 온갖 꽃들이
활짝 피어 있습니다.
많은 비밀 요원이 모여 있고,
모두 변장을 하고 있답니다."
"변장을 하고 있다고?"
닥터꼼꼼 씨가 물었어요.
"그곳에서 '은하계 비밀 요원 대회'가
열리고 있거든요."
엄청생각 씨가 설명했습니다.

"이 대회에서는
은하계 방방곡곡에서
모여든 비밀 요원들이
저마다 자신의 변장술을
시험해 보고,
다른 요원의 변장 비법을
배우기도 합니다.
그런 다음, 다른 요원들 몰래
에덴별을 떠나야 합니다.

팔짝이 요원은 이렇게 썼습니다.
'나는 변장 안 한 원래 모습을
남에게 보여서는 안 되며,
만약 원래 모습을 들키게 된다면
남은 생을 불안에 떨며 살아야 할 것이다.
요원 자리에서 물러나도 내 원래 모습으로
강가에서 살 수 있는 날은
영원히 오지 않을 것이다.'"

"불쌍한 팔짝이!"
토드 선장의 눈에
눈물이 글썽거렸어요.
"그렇다면 우리가 팔짝이 대원을
찾아내야겠군요.
특징을 알려 주세요."
나리 중위가 말했습니다.

"몇 가지 일러 주지."
토드 선장이 말했습니다.
"팔짝이는
우주 함대 공식 손목시계인
개굴 다이얼 시계를 차고 있고,
개굴 콜라를 마시며,
제일 좋아하는 사촌 형과 찍은
사진을 갖고 다닌다네."

"알아볼 수 있겠어요."
나리 중위가 말했습니다.
"그런데 실수로 우주선에
다른 요원을 태우게 되면,
우리 모두 위험해집니다."
엄청생각 씨가 말했습니다.
"내가 알아볼 수 있다네.
그리고 팔짝이는 나와
똑같이 생겼으니까
자네들도 알아볼 수 있을 거야."
토드 선장이 자신 있게 말했습니다.

공중제비는 은하계 지도에서
에덴별을 찾았습니다.
나리 중위는 우주선의 속도를
최고로 높였습니다.
우주선이 단숨에 날아갔어요.
에덴별에는 꽃들이
활짝 피어 있었습니다.
빨간 꽃, 주황 꽃,
노란 꽃, 분홍 꽃도 있었어요.

토드 선장과 나리 중위,
엄청생각 씨와 닥터꼼꼼 씨는
탐사선에 올랐습니다.
막내 공중제비만
우주선에 남았습니다.

탐사선은 아래로, 아래로, 아래로 내려가
노란 미나리아재비꽃이 피어 있는
들판에 내려앉았습니다.
꿀벌이 윙윙거리고,
새들이 즐겁게 노래했습니다.
참 아름다운 별이었습니다.
내원들은 탐사선에서 내려
들판을 거닐며 기분 좋은 공기를
들이마셨습니다.

그때 갑자기,
수많은 이빨을 가진 거대한 괴물이
꼬리를 세차게 휘두르며 나타났습니다.
싱긋 웃는 괴물의 입안에는
날카로운 이빨과
미나리아재비꽃이
가득 차 있었습니다.
괴물은 큰 이빨이 247개,
작은 이빨이 73개나 있었어요.

"괴물이다! 도망가!"
닥터꼼꼼 씨가 소리를 지르며
탐사선으로 폴짝 뛰어갔습니다.
그러나 나리 중위는 도망가지 않고,
한쪽 무릎을 구부리고 앉아
73개의 작은 이빨을 향해
총을 겨누었습니다.

나리 중위가 총을 쏘려는 순간,
괴물이 큰 목소리로 말했습니다.
"펄쩍이 형! 안녕!"
"멈춰!"
토드 선장이 황급히 외쳤습니다.

"쏘지 말게, 나리 중위.
내 사촌 동생이라네.
어릴 때 별명이
쟤는 팔짝이고
나는 펄쩍이였거든.
우리는 생긴 것도 똑같았고,
입는 옷도 똑같았고,
하는 말도 똑같았지.
그 누구도 우리 둘을
쉽게 구별하지 못했어."
"아무리 그래도 지금은
전혀 닮지 않았는데……."
닥터꼼꼼 씨가 말했어요.
"그건 그렇지.
지금은 내가 더 잘생겼지."
토드 선장이 우쭐거렸어요.

"정말 대단한 변장이군요."
엄청생각 씨가 말했습니다.
토드 선장은 괴물 사촌 동생을
반기며 부둥켜안았어요.

바로 그때였어요.

이번에는 257개의 큰 이빨과

63개의 작은 이빨을 가진

기다랗고 미끈미끈한

또 다른 괴물이

미끄러지듯 들판을 지나

대원들 앞에 나타났습니다.

나리 중위는 다시 총을 겨누었습니다.

"안녕! 펄쩍이 형!"

괴물은 약간 쉰 목소리로 인사했어요.

"잠깐! 멈춰!"

토드 선장이 소리쳤어요.

"내가 큰 실수를 했네.

이쪽이 진짜 내 사촌 동생일세."

"누가 누구인지 알 수가 없군요."
나리 중위가 총을 내리며 말했어요.
"선장님이 알려 주셨잖아요.
어릴 때 별명은 변장의 달인인
사촌 동생 팔짝이 요원만 안다고요.
두 괴물 모두 선장님 별명을
알고 있는데, 어떻게 된 일이죠?
비밀 요원 007$\frac{1}{2}$이
두 명일 리가 없잖아요."
"변장술이 굉장하네요."
엄청생각 씨가 놀라워했어요.

그런데 갑자기,
수십 개의 큰 이빨과 작은 이빨을 가진
괴물 세 마리가 들판을 가로질러
쿵쾅쿵쾅 뛰어와서는
"펄쩍이 형! 안녕!"
하고 큰 소리로 인사했어요.
"문제군, 문제야."
나리 중위는 어쩔 줄 몰랐어요.

"귀신이 곡할 노릇이라더니,
이런 경우를 두고 하는 말이군.
이런 괴물 귀신 같은 문제는
쉽게 풀리지 않을 텐데……."
닥터꼼꼼 씨는 고개를 저었어요.
"진짜 대단한 변장술이군요."
엄청생각 씨는 더욱 놀라워했어요.

다섯 마리의 괴물은 모두
개굴 다이얼 시계를 차고 있고,
다섯 마리의 괴물은 모두
개굴 콜라를 마시고 있고,
다섯 마리의 괴물은 모두
작고, 까무잡잡하고, 잘생긴
어린 두꺼비들의 사진을
가지고 있었습니다.

"펄쩍이 형!
내가 진짜야.
내가 바로 변장의 달인,
팔짝이라고!
다른 놈들은 모두 가짜야.
형의 우주선을 빼앗고
비밀 정보를 훔치려는
나쁜 스파이들이야."
다섯 마리의 괴물들은
하나같이 이렇게 말했어요.

괴물들은 서로 으르렁댔어요.
별똥들의 전쟁호 대원들에게는
수많은 이빨을 드러내며
싱긋 웃어 보였지요.
대원들은 재빨리 탐사선에 올라타
괴물들의 머리 위로 날아올랐어요.
토드 선장은 괴물들의
발톱과 입이 닿지 않는 곳에서
찬찬히 생각할 시간이 필요했어요.

다섯 마리의 괴물들은
미나리아재비꽃이 가득 핀
들판에 벌렁 드러누웠습니다.
모두들 두 발과 꼬리를
공중으로 쳐든 채
개굴 콜라를 마시며,
폴짝폴짝 뛰놀던
어린 시절을
이야기했습니다.

"저 중에서 하나만이
진실을 말하고 있어요."
엄청생각 씨가 조심스럽게 말했어요.
"저 중에서 넷은
거짓말을 하고 있다는 건데…….
누가 진짜인지 알 수가 있어야지."
토드 선장이 괴물들을
손가락으로 세면서 말했어요.

"아무리 변장의 달인이라도,
두꺼비가 아니면
할 수 없는 일이 있을 텐데……."
엄청생각 씨가 중얼거렸어요.
"그래, 바로 그거야!"
토드 선장이
벌떡 일어나서 소리쳤습니다.
그 바람에 탐사선이 좌우로
마구 흔들렸습니다.

"그게 무엇입니까?"
엄청생각 씨가 물었어요.
"뭐냐고? 두고 보게."
토드 선장이 대답했습니다.
"나리 중위!
에덴별의 튤립꽃밭이
어디 있는지 찾아보도록!"

"네! 선장님."
나리 중위는
이유를 묻지 않고
곧바로
씩씩하게 대답했습니다.

반대편으로 날아간 대원들은
들판을 살펴보았어요.
"저기 있어요!"
나리 중위가 마침내 찾아냈어요.
대원들은 아래를 내려다보았어요.
발아래 튤립꽃밭이
펼쳐져 있었어요.
튤립은 스쳐 가는 산들바람에
예쁘게 살랑거렸습니다.

"진짜 내 동생 팔짝이야.
이쪽으로 오너라."
토드 선장은
두 손을 모아 손나팔을 만들어
입에 대고 외쳤어요.
토드 선장의 말에
다섯 마리의 괴물들은
벌떡 일어나서
달려오기 시작했습니다.
쿵! 쾅! 쿵! 쾅!

"너희 모두를 시험해 보겠다."
토드 선장이 말했습니다.
"어떤 시험?"
괴물들이 물었어요.
"진짜 내 동생 팔짝이라면,
이 튤립꽃밭을 가로질러
뛰어오너라."
토드 선장이 말하자
모두들 웅성거렸어요.

"뭘 하시게요?"
엄청생각 씨가 궁금해했습니다.
"두고 보게."
토드 선장은 이렇게 대답할 뿐이었어요.
"1번 괴물, 앞으로!"

247개의 큰 이빨을 가진
거대한 괴물이
튤립꽃밭을 헤치며 달려왔습니다.
벌과 벌레 들이 괴물의 머리 주변을
붕붕거리며 날아다녔습니다.
"다음, 2번 미끌미끌한 괴물!"
토드 선장이 외쳤습니다.
미끌미끌한 괴물은 풀밭 속으로
미끄러지듯 들어가
벌과 모기를 괴롭히며
튤립꽃밭을 가로질렀습니다.

"3번 괴물, 4번 괴물, 출발!"
토드 선장이 소리쳤습니다.
두 괴물은 튤립꽃밭을
흥흥거리며 자신 있게
가로질렀습니다.
두 괴물 주변에서도
작은 벌레들이 윙윙거렸습니다.

"마지막으로 5번!"
토드 선장이 외쳤습니다.
마지막 괴물은
뚱뚱하고 몸에 줄무늬가 있고,
이마엔 거무스름한 뿔이 나 있었어요.
괴물은 두 발을 쿵! 쾅! 쿵! 쾅!
무겁게 내디뎠어요.
으스대던 괴물은
들판을 가로질러 오는 동안
17마리의 파리를 발로 걷어찼습니다.

그런 다음
날름, 날름, 날름,
길고 끈끈한 혀를 날름거리며
눈 깜짝할 새에
날아다니는 파리를 잡아먹었습니다.
혀를 17번 날름거리면서
한 마리도 남김없이 다 먹었습니다.

"마지막 괴물이 팔짝이야!
똑똑하고, 잽싸고, 잘생긴
내 동생 팔짝이는
저렇게 파리를 잡아먹는다네."
토드 선장이 자신 있게 말했어요.
닥터꼼꼼 씨도 웃으며
맞장구를 쳤어요.
"괴물은 파리를 잡고,
자네는 비밀 요원을 잡았군."

"변장술이 대단하네요."
엄청생각 씨가 말했어요.
나리 중위는 버튼을 눌러
줄사다리를 내렸습니다.
줄사다리가
팔짝이 요원의 코앞까지
똑바로 내려갔습니다.
팔짝이 요원은 재빨리
줄사다리를 붙잡고
올라왔습니다.

다른 괴물들은
입을 쩍 벌리고 발톱을 세운 채
줄사다리를 향해 뛰어왔어요.
그러나 이미 너무 늦었어요.
비밀 요원 007½은
탐사선에 올라탔고,
줄사다리도 끌어 올렸거든요.
"펄쩍이 형, 고마워."
괴물이 인사했습니다.

"내가 정말로 네 형이었으면 좋겠다."
"곧 알게 될 거야."
토드 선장의 말에 괴물은
412개의 이빨을 드러내며
씨익 웃었어요.
탐사선은 우주선이 있는 곳으로
돌아갔습니다.

우주선에 도착하자 괴물은
변장 용품을 모두 벗었어요.
처음에는 뿔을 떼어 내고,
그다음에는 가발을 벗고,
마지막으로 줄무늬 가죽도 벗었습니다.
그러자 괴물은
키 크고, 늘씬하고,
잘생기고, 건강한 구릿빛 피부의
두꺼비로 돌아왔어요.

"우리 좀 보게.
똑같이 생겼지?"
토드 선장은
팔짝이 요원을 안으며 말했어요.
나리 중위가 웃었습니다.
엄청생각 씨는 고개를 끄덕였고,
닥터꼼꼼 씨도 껄껄 웃었지요.
"선장님과 정말 똑같이 생겼어요.
정말 생각지도 못했네요."
막내 공중제비가 말했어요.

토드 선장은
사촌 동생을 보다가
거울에 비친 자신을
바라보며 말했습니다.
"자네 말이 맞네.
그렇지만 생긴 거로 따지면야
내가 훨씬 낫지, 안 그런가?"

"잠깐! 한마디만 할게요."
팔짝이 요원이 말했어요.
"내가 형과 똑같이
잘생겨 보인다는 건
내가 변장의 달인이라는 증거죠.
그렇지 않아요?"

모두들 하하하 웃었습니다.
공중제비가 드넓은 우주 속으로
초록색 우주선을 몰아갑니다.
별똥들의 전쟁호는 은하계를 가로질러
폴짝폴짝 날아갑니다.
이 별에서 저 별로,
저 별에서 또 다른 별로.